D0831100

De giftige duizendpoot

Betty Sluyzer

Met tekeningen van
Pauline Oud

Gedrukt bij Drukkerij Hooiberg BV, Epe

CIP-gegevens Koninklijke Bibliotheek, Den Haag

Sluyzer, Betty

De giftige duizendpoot / Betty Sluyzer
Omslag en tekeningen van Pauline Oud
Opmaak: Manon Zeijlstra
Oud-Beijerland: De Eekhoorn BV. - ill.- (Zeester-serie)
ISBN 90-6056-622-x
NUGI 220
Trefwoord: jeugdboeken; verhalen

Inhoud

Een rijke familie 5

Duizendpootjes 10

Sleutels 16

De markt 20

Het gifbeest 28

Eerste hulp 33

Teruggepakt 40

De Zeester-serie:

Monstervissen

De zwarte rotsen

De giftige duizendpoot

De gemaskerde hond

Een boom in de klas

Verdwenen

Een rijke familie

Gideon heeft een ongelooflijke honger.
Hij ademt diep in en uit, met zijn ogen dicht.
'Wat ben jij aan het doen?' vraagt Martin.
'Voel je je niet lekker?'
'Ik verga van de honger, pa.
Ik droom van een groot bord patat.'
'Nou, laten we dan naar beneden gaan,' zegt Martin.
'Ik ben klaar.'
Gideon kijkt zijn vader van opzij aan.
'Waarom zie je er zo netjes uit?
Is er iets speciaals?'
Martin knikt.
'We eten vanavond met de familie Luca.
Het is een rijke familie uit Amerika.
Ze komen elk jaar naar het hotel.
Deze keer hebben ze hun zoon meegenomen.'
'Net als jij, pa.
Jij bent hier ook elk jaar en dit jaar mocht ik ook mee.'
Martin grinnikt.
'Ja, maar er is wel een groot verschil tussen de familie Luca en ons.

Ik kost Isabel alleen maar geld.
Zij moet mij betalen en de familie Luca brengt veel geld mee.'
Martin duwt Gideon de lift in.
'Kom, we gaan lekker eten.'
'En wat moet ik doen?'
'Eten en je mond houden.'
'O, nou, als we patat eten, vind ik dat niet erg.'

Isabel staat bij de deur van de eetzaal te wachten.
'Hè, hè, kon dat niet wat sneller?
De Luca's zitten al een half uur te wachten.'
Ze slaat een arm om Gideons schouder.
'Had je niets netters aan kunnen doen?' fluistert ze in zijn oor.
Gideon geeft geen antwoord.

Isabel loopt naar een grote ronde tafel.
Ze grijnst breeduit en wijst naar Gideon en Martin.
'Daar zijn ze dan eindelijk.
Martin, de sportleraar, kennen jullie natuurlijk al.'
Ze duwt Gideon naar voren.

'En dit is zijn zoontje Gideon.
Eet smakelijk en geniet van uw vakantie.
Als er wat is, hoor ik het wel.'
Gideon luistert verbaasd.
Wat is Isabel ineens vriendelijk.
Dat doet ze zeker omdat die mensen heel rijk zijn.
Wat een onzin, zeg.
Martin geeft iedereen een hand.
'Kom eens hier, Gideon.
Dan zal ik je even voorstellen.
Dit is meneer Luca.
Meneer Luca is de eigenaar van het hotel.'
'O?' zegt Gideon.
'Ik dacht dat Isabel...'
'Isabel zorgt voor de hotelgasten,' zegt Martin.
'Inderdaad,' bromt Luca.
'En dat doet ze op een geweldige manier.
Ze is zo lief voor kinderen.
Vooral voor onze Orso.'
'En dit is mevrouw Luca,' zegt Martin.
Gideon geeft haar een hand.
Haar armen rinkelen zachtjes.
Er zit nog iemand aan tafel.

'En dit is Orso,' zegt Martin.
Gideon steekt zijn hand uit.
Orso doet hetzelfde.
Maar op het moment dat hun handen elkaar raken, steekt Orso zijn duim op.
'Grapjes vind ik leuk,' zegt hij grinnikend.
'Orso is onze grapjas,' zegt zijn moeder.
'Ik hoop dat je van grapjes houdt.'
Gideon glimlacht.

Isabel dient het eten op.
Gelukkig heeft Gideon gelijk.
Ze brengt biefstuk en sla en veel patat.
Dan tikt meneer Luca met zijn vork tegen zijn glas.
Hij wil iets zeggen.
Gideon zucht en denkt: o nee.
Nu wordt mijn patat koud.

Duizendpootjes

'Lieve mensen,' zegt meneer Luca.
'Wat is het toch fantastisch om in dit hotel te zijn.'
Hij kijkt Orso aan.
'Mama en ik gaan morgenochtend met Martin zeilen.
Heb je zin om mee te gaan?'
Orso trekt een vies gezicht.
'Ik ben al zo vaak meegeweest.
Kan ik hier in het hotel blijven?'
Mevrouw Luca legt haar hand op die van Orso.
'Ach lieverd, wat moet je nou alleen in dit hotel?'
Ze kijkt Gideon aan.
'Of blijf jij ook hier morgen?
Dan kunnen jullie samen iets gezelligs doen.'
Gideon vindt alles goed, als hij maar mag eten.
'Nou,' zegt meneer Luca tevreden.
'Dat is dan geregeld.
Eet smakelijk.'
Gideon prikt vijf patatjes tegelijk aan zijn vork.
Dan snijdt hij een enorm stuk vlees af.

Hij doopt het in de slasaus en stopt het in zijn mond.
In een hoog tempo kauwt hij op zijn eten.
Nu een grote hap sla.
En dan ineens begint hij langzamer te kauwen.
Wat voelt hij nu tussen zijn kiezen?
Het is hard en glad.
Wat is dat?
Gideon wil de hap weer uitspugen, maar dat kan natuurlijk niet.
Hij veegt zijn mond af, staat op en loopt snel naar de toiletten.

In de toiletpot spuugt hij de hap uit.
Er ligt iets zwarts tussen.
Gideon hurkt bij de pot.
Wat is dat in vredesnaam?
Hij kijkt van heel dichtbij.
Voorzichtig pakt hij het tussen duim en wijsvinger op.
Het is een plastic duizendpootje.
Hoe komt dat ding nou in de sla terecht?
Een echte duizendpoot zou nog kunnen.
Maar een plastic duizendpoot?
Hij staat even na te denken.
Maar dan begint hij het te snappen.
Dit heeft vast iets met Orso te maken.
Die zit naast hem aan tafel.
Orso moet de duizendpoot ertussen gestopt hebben, toen meneer Luca aan het praten was.
Gideon grijnst.
Hij zal Orso wel terugpakken, ooit.
Vrolijk loopt hij terug naar de eetzaal.
De duizendpoot heeft hij in zijn zak gestopt.
Orso kijkt hem nieuwsgierig aan, als hij weer aan tafel gaat zitten.
Gideon bekijkt zijn bord nog eens goed.

Liggen er niet nog meer vreemde voorwerpen op?
'Lust je je eten nog wel?' vraagt Orso.
Gideon kijkt opzij.
'Ja, natuurlijk.
Ik vind het heerlijk allemaal.
Jij toch ook?
Of hou jij niet van patat?'
'Ik ben verslaafd aan patat.
Hoeveel je me ook geeft, ik eet het altijd op.'
Aha, denkt Gideon, dat moet ik onthouden.

Isabel komt de tafel afruimen.
'Heeft het gesmaakt, allemaal?'
'Ja Isabel,' zegt mevrouw Luca vriendelijk.
'Het was weer een heerlijke maaltijd.'
'En u krijgt nog meer,' zegt Isabel guitig.
'Er komt nog ijs met een verrassing.'
Orso staat op.
'Ik ga even mijn handen wassen.
Ik ben zo terug.'
Gideon kijkt hem na.
Die gaat vast nog een grap uithalen, denkt Gideon.
Ik vertrouw hem voor geen cent.

Even later komt Orso terug.
Aan zijn gezicht is niets te zien.

Isabel komt aanlopen met een groot dienblad.
Er staan grote coupes met ijs op.
'Kijk eens, mensen,' zegt ze triomfantelijk.
'IJs met een verrassing.'
Op elke portie ijs zit een pluchen beestje.
Meneer Luca krijgt een vogeltje.
Voor Martin zet ze ijs met een aapje neer.
'En deze is voor u,' zegt Isabel.
Ze zet een coupe ijs neer voor mevrouw Luca.
Mevrouw Luca kijkt naar haar ijs en slaat haar handen voor de mond.
Ze slaakt een kreet.
'Wat is dat voor verrassing?
Dat is geen leuk pluchen beestje.
Haal weg dat enge ding!'
'Wat zegt u me nou?' vraagt Isabel.
Ze buigt snel over mevrouw Luca heen om het beest weg te halen.
Dat doet ze zo wild, dat het ijs omvalt.
Midden op tafel ligt een grote plastic duizendpoot.
Gideon kijkt vanuit zijn ooghoeken naar Orso.

Grapje van Orso?
Orso kijkt onverschillig voor zich uit.
Isabel haalt snel een nieuwe portie ijs voor
mevrouw Luca.
'Duizendmaal sorry.
Dit is me nog nooit gebeurd.'
Ze begrijpt er helemaal niets van.

Sleutels

De volgende ochtend gaat Gideon om tien uur naar de hal.
Orso is er al.
'Wat zullen we gaan doen vandaag?' vraagt Gideon.
'Laten we de stad in gaan,' zegt Orso.
'Ik moet een nieuwe zonnebril hebben.
En misschien zien we ergens een goed zakmes.
Ga je mee?'
'Ik vind het best,' antwoordt Gideon schouderophalend.
'Er is markt vandaag.
Daar hebben ze in ieder geval lekkere dingen.'
Gideon wil naar de uitgang lopen, maar Orso blijft staan.
'Hé, wacht even.
We moeten eerst naar de hotelkamer van mijn ouders.
Daar ligt geld.'
'Dan wacht ik wel even hier.'
'Nee joh, ga nou even mee.
We zouden toch alles samen doen vandaag?

De kamer van Orso's ouders is erg groot.
Gideon kijkt verbaasd om zich heen.
'Wat een ontzettend grote kamer is dit, zeg.
Ga je nu het geld pakken?'
Orso doet een la van het nachtkastje open.
Er zit een metalen geldkist in.
Het is niet op slot.
Hij haalt er een rolletje bankbiljetten uit.
'Hoe ga je dat meenemen?' vraagt Gideon.
'Dat kun je toch niet los in je broekzak
stoppen?'
'Ik heb een geheim vakje in mijn broek,' zegt
Orso.
'Kijk maar, hier zit een extra rits.
Daar kan ik geld in bewaren.
Kom mee, we gaan lekker veel geld uitgeven.'
Orso sluit de kamer weer af.
Ze nemen de lift naar beneden.
'Ik moet nog even de sleutel ophangen,' zegt
Orso.
Achter de balie hangt een groot sleutelrek.
Isabel is er niet.
Orso loopt erheen, maar hij hangt de sleutel
niet op.

Wat is er nou weer? denkt Gideon.
Orso gebaart dat hij moet komen.
'Help even,' fluistert Orso met glimmende ogen.
'We verwisselen de sleutels.'
Dit vindt Gideon ook wel een leuke grap.
Wat zal Isabel kwaad worden!
Snel hangen ze alle sleutels op een ander haakje.
'Nu ben ik echt klaar,' zegt Orso grijnzend.
'Laten we gaan.'

De markt

'Eerst gaan we een stel zonnebrillen kopen,'
zegt Orso.
'Hoeveel wil je er dan hebben?' vraagt Gideon.
'Een voor jou en een voor mij.'
'Maar ik heb al een zonnebril.'
'Ah joh, je kunt er best nog een gebruiken.
Kom op.
Waar is de markt?'
Gideon wijst naar rechts.
'Daar om de hoek.
Het is echt vlakbij het hotel.
Ik koop er vaak stukken watermeloen.'
Ze lopen naar een kraam met zonnebrillen.
Orso wil er een passen, maar de
marktkoopman houdt hem tegen.
'Wat ga je doen, knul?
Heb je geld bij je of sta je maar wat te spelen?'
Meteen haalt Orso een bankbiljet van 10 dollar
tevoorschijn.
'Is dit genoeg meneer?
We willen zelfs twee brillen kopen.'
De man knikt tevredengesteld.
Orso en Gideon passen allerlei brillen.

Ze trekken gekke gezichten voor een klein spiegeltje.
Uiteindelijk zoeken ze allebei een zwarte zonnebril uit.
'Dat is dan 5 dollar,' zegt de marktkoopman.
'O, ik heb alleen een biljet van 10 dollar,' zegt Orso.
Hij houdt het biljet in zijn handen en dan klinkt er een scheurend geluid.
'Wat doe je nou?' roept Gideon.
'Ben je een beetje gek of zo?
Waarom scheur je dat bankbiljet door?'
De marktkoopman tikt op zijn voorhoofd.
'Half geld hoef ik niet hoor.'
Orso barst in schaterlachen uit.
'Haha, grapjes vind ik leuk.'
Hij houdt het bankbiljet in de hoogte.
Het is nog helemaal heel.
'Pfff,' zegt Gideon opgelucht.
'Jij bent wel een vreemd type hoor.
Ik schrok me kapot.'
Orso betaalt de zonnebrillen.
Dan lopen ze verder over de markt.
'Nu een zakmes,' zegt Orso.
'Weet jij of ze die hier verkopen?'

Gideon knikt.
'Er staan daar achteraan altijd Afrikaanse mensen met allerlei soorten messen.'
Er staan wat klanten bij de kraam.
Ze staan riemen te passen.
Er liggen ook zakmessen die je aan een riem kunt dragen.
Orso pakt er eentje op.
'Deze vind ik wel mooi.'
De mevrouw achter de kraam begint te lachen.
'Zo'n mes mag jij nog niet kopen, krielkip.
Je bent nog geen zestien.'
'Maar ik heb genoeg geld bij me, hoor,' zegt Orso.
Hij laat weer een bankbiljet zien.
De mevrouw schudt haar hoofd.
'Sorry, jij mag alleen zo eentje kopen.'
Ze pakt een klein mesje op en laat het zien.
'Wat is dat voor mes?' vraagt Orso.
'Het lijkt wel een fruitmesje.'
De mevrouw grijnst.
'Dat is het ook, maar het is loeischerp.
Voel maar.'
Orso pakt het mesje aan.

Hij klapt het open en haalt er voorzichtig zijn wijsvinger langs.
Er komt meteen een druppel bloed uit.
Hij zucht aanstellerig en roept:
'Ik ga dood, ik ga dood.'
Gideon tikt op zijn voorhoofd.
'Dit is weer een grapje van gekke Orso.
Koop je dat mes nou of niet?'
'Ja natuurlijk,' zegt Orso opgewekt.
'Het is superscherp.'
Hij betaalt het mesje en stopt het weg.
'Hé, daar staat iemand met watermeloenen,' roept Gideon.
'Kom Orso, ik trakteer.
En maak nou even geen grapjes, oké?
Je hoeft toch niet de hele dag leuk te zijn?'
'Nee, nu even serieus,' zegt Orso grijnzend.
Gideon loopt naar de watermeloenenkraam.
Hij kent de verkoper wel.
Die staat hier elke week.
'Hallo Jeremy,' zegt Gideon.
'Hé Gideon,' zegt de man vrolijk.
'Kom je weer een lekker stuk meloen bij me eten?'
Gideon knikt.

'Twee stukken vandaag.
We zijn met z'n tweeën.'
'Ah, is hij een vriend van je?'
Gideon geeft niet meteen antwoord.
Is Orso een vriend?
Nee, eigenlijk is hij gewoon een jongen die hij kent uit het hotel.

Nou ja, misschien wordt het wel een vriend.
Gideon knikt.
'Mooi,' zegt Jeremy.
'Jullie krijgen twee hele lekkere stukken van mij.'
Hij pakt twee grote stukken watermeloen en vouwt er een stuk papier omheen.
'Alsjeblieft.'
Gideon pakt de stukken aan.
Hij geeft er Orso een.
Dan neemt hij een grote hap van zijn eigen stuk.
Het roze sap druipt in stralen van zijn kin.
De pitjes spuugt hij op de grond.
Orso wil ook een hap nemen.
Hij kijkt naar het stuk watermeloen.
Er zit iets zwarts in het papier, dat eromheen zit.
Hij pakt het eruit en begint te lachen.
'Hé Gideon, lelijke grapjurk.
Je wou me terugpakken zeker?
Nou, dit is een grote plastic duizendpoot, zeg.
Waar heb je die vandaan?
Wat een mooie!

Maar je maakt mij er niet bang mee.
Ik vind hem wel tof.'
Tussen zijn wijsvinger en duim bungelt een zwart ding.
Jeremy ziet wat Orso vast heeft.
Hij begint te roepen.
'Scolopendra gigantea!'

Het gifbeest

Gideon kijkt geschrokken naar het zwarte beest.
'Dat is geen plastic duizendpoot, Orso.
Kijk dan, hij beweegt.
Het is een echte.
Doe weg dat beest, laat hem vallen.
Laat los nou.'
Orso kijkt nog eens goed.
'Verrek, hij leeft echt!
Nou Gideon.
Hier heb je je diertje weer.
Wat een grap zeg, om een echte duizendpoot in het papier te doen.'
Hij gooit het beest naar Gideon.
In een reflex vangt Gideon hem op.
Het diertje loopt over de palm van zijn hand.
'Au!' schreeuwt hij plotseling.
'Hij heeft me gebeten!'
Gideon laat de duizendpoot vallen.
Jeremy rent naar hem toe.
'Laat eens kijken, Gideon?
Ben je gebeten?
Dat is een giftige duizendpoot.

Dat riep ik toch!
Je moet meteen naar een dokter.
Waar is het beest?
We moeten hem doodmaken.'

Gideon ondersteunt zijn zere hand met zijn andere hand.
'Het doet hartstikke pijn.'
Orso legt zijn stuk meloen op de kraam en haalt zijn mes tevoorschijn.
Hij klapt het open en roept:
'Sorry, Gideon, sorry.
Dit was mijn bedoeling niet.
Ik ga het monster in mootjes hakken.'
'Kijk nou maar uit,' kermt Gideon.
'Hij is giftig.'
Orso laat zich op zijn knieën vallen.
'Ik zie hem nog.
Duizendpoten rennen gelukkig niet zo hard.'
Orso hakt met één beweging de kop van de duizendpoot af.
Hij kronkelt nog heel even door.
'Zo, die is dood.'
Hij schuift met zijn mes de duizendpoot op het meloenpapier.
'Ik neem hem mee naar het hotel.'
Hij vouwt het papier op en stopt het in zijn broekzak.
De meloenverkoper geeft Orso een schouderklopje.

'Goed gedaan.
Maar nu moet Gideon snel geholpen worden.
Hij moet een prik hebben tegen het gif.'
Gideon wordt steeds bleker.
Het zweet staat op zijn voorhoofd.
'Gaat het nog?' vraagt Orso bezorgd.
'Nou, eigenlijk niet,' zegt Gideon.
'Mijn hand wordt een beetje stijf.'
'We moeten echt opschieten,' roept Jeremy.
'Ik moet even iets regelen.
Orso, hou je vriend vast.
Anders valt hij om.'
Hij rent naar een andere marktkraam.
Even later komt hij terug.
'Iemand anders let op mijn kraam.
Nu ga ik mijn auto ophalen.
Ga maar vast daar bij de weg staan.'
Orso slaat zijn arm om Gideon heen.
Hij maakt nu geen grapjes meer.
Dit is echt heel eng.
Gideon wordt steeds slapper.
'Wakker blijven, Gideon.
Jeremy brengt je naar het ziekenhuis.'
Gideon glimlacht moeizaam.
Gelukkig duurt het niet lang voor Jeremy komt.

Ze zetten Gideon op de achterbank.
Orso gaat naast hem zitten.
Gideon leunt achterover en zegt niets.
Orso kijkt bezorgd naar hem.
Hij voelt even aan Gideons voorhoofd.
Het voelt gloeiend aan.
Dan wrijft hij over zijn eigen voorhoofd.
Ik geloof dat ik ook ziek word, denkt hij.
Waar slaat dat nou op?
Ik ben toch niet gebeten?
Hij leunt net als Gideon achterover en doet zijn ogen dicht.

Eerste hulp

Jeremy rijdt zo snel mogelijk naar het ziekenhuis.
Hij zet de auto vlak voor de ingang en kijkt achterom.
'Wat krijgen we nou?' roept hij verbaasd uit.
'Ze liggen allebei op apegapen.'
Hij stapt uit en rent het ziekenhuis in.
Er staat een lange rij voor de receptie.
O nee, denkt Jeremy.
Zo lang kan ik niet wachten.
Ik moet een dokter hebben, snel!
Gelukkig ziet hij een zuster staan.
Ze is een broodje aan het eten.
'Zuster, zuster,' roept Jeremy.
Hij loopt naar haar toe en legt zijn hand op haar arm.
'U moet in de rij wachten,' zegt de zuster onverschillig.
Ze wuift in de richting van de receptie.
'Daar moet u zich melden.
Ik heb pauze.
Zij kunnen u wel helpen.'
'Nee,' zegt Jeremy doordringend.

'U moet me echt nu meteen even helpen.
Ik heb twee half bewusteloze jongens in de auto.'
De zuster let nu ineens wel goed op.
'Wat is er dan gebeurd?'
'De een is gebeten door een giftige duizendpoot.
Wat er met de ander aan de hand is, weet ik niet.
Misschien is hij wel gewoon flauwgevallen.'
'Kom mee,' zegt de zuster.
'Ik waarschuw de Eerste Hulp.
Loopt u maar weer naar de auto.
Er komt zo iemand aan.'
Jeremy rent weer terug naar zijn auto.
De jongens liggen nog steeds slap op de achterbank.
'Gideon, kun je nog praten?' vraagt Jeremy.
Hij krijgt geen antwoord.
Ongerust kijkt hij om.
Gelukkig, daar komen mensen aan met brancards.
Ze leggen de jongens erop.
Jeremy loopt snel met ze mee.
'Mag ik mee naar binnen?' vraagt hij.

Een broeder kijkt hem van opzij aan.
'Bent u familie?'
'Nee, ik verkoop meloenen op de markt.
Er zat een giftige duizendpoot tussen de stukken meloen.
Ik voel me zo schuldig.
Straks komt het door mij dat die jongens ziek zijn.
Worden ze wel beter?'
'Daar mag ik niets over zeggen,' antwoordt de broeder.
'De dokter komt straks wel bij u.
Maar het is uw schuld toch niet.
Die rotbeesten duiken overal op.'
Jeremy moet in een wachtkamer wachten.
De jongens worden meegenomen naar een andere kamer.

Een kwartier later komt Gideon langzaam bij.
Hij doet één oog open.
Dan spert hij ze allebei tegelijk wijd open.
Hè? denkt hij verwonderd.
Dit lijkt wel een ziekenhuiskamer.
Wat is er gebeurd?
Naast hem ligt nog iemand.

HOSPITAL · HOSPITAL

Gideon kijkt eens goed.
Nu snapt hij er helemaal niets meer van.
Orso ligt naast hem.
Hoe zijn ze hier terechtgekomen?
'Hé Orso,' zegt Gideon.
Orso draait langzaam zijn hoofd naar hem toe.
Hij ziet Gideon in het grote bed liggen.
'Wat doen we hier?' vraagt Orso verbaasd.

De deur gaat open.
Jeremy, de meloenverkoper, komt binnen.
Vlak achter hem loopt een dokter.
'Zo, heren, hoe gaat het met jullie?'
'Ik voel me een beetje slap,' zegt Gideon.
'Maar eh, kunt u me uitleggen wat er gebeurd is?'
'Jazeker,' antwoordt de dokter vriendelijk.
'Jullie zijn binnengebracht door deze meneer hier.'
De dokter wijst naar Jeremy.
'Hij zei, dat je gebeten was door een giftige duizendpoot.'
'Ja, dat klopt,' zegt Gideon.
Ineens herinnert hij zich alles weer.
'Die zat in het meloenpapier.

En Orso dacht dat het een grapje van me was.
En hij gooide die duizendpoot naar me toe.
En ik ving hem op, stom hè?'
Gideon fronst zijn wenkbrauwen.
'Maar waarom ligt Orso hier?
Hij was toch niet gebeten?'
De dokter kijkt Orso aan.
'Weet je zelf wat er gebeurd is?'
Orso haalt zijn schouders op.
'Nee, ik snap er niets van.
Ik dacht echt dat Gideon me terug wilde pakken.
Gisteren heb ik plastic duizendpoten op zijn bord gedaan.
Dus ik dacht, nu doet hij iets terug.
Maar ik wilde hem niet vergiftigen.'
Orso begint steeds harder te praten.
'Zo gek ben ik niet.'
De dokter legt zijn hand op Orso's been.
'Rustig maar,' zegt hij kalmerend.
'Dit was gewoon een gek ongelukje.
Voel je maar niet schuldig.
Jij bent tenslotte zelf ook vergiftigd.'
'Ben ik ook gebeten?' vraagt Orso verbaasd.
'Maar ik heb dat kreng zelf doodgemaakt!'

'Ja, dat was heel dapper van je,' zegt de dokter.
'Maar je hebt de dode duizendpoot wel vastgepakt.
We vonden een doorgesneden duizendpoot in je broekzak.
In je wijsvinger zat een klein sneetje.
Daardoor is het gif in jouw lichaam gekomen.
Dus zo werd jij ook vergiftigd.
Maar we hebben jullie een prik met antigif gegeven.
Dus jullie kunnen zo weer naar huis.'
'Ik breng jullie wel,' zegt Jeremy opgelucht.
'En jullie krijgen ieder een meloen van me.
Zonder duizendpoot.'

Teruggepakt

'Hallo jongens,' roept mevrouw Luca van het terras.
'Komen jullie even wat drinken?'
Gideon en Orso lopen naar haar toe.
Ze hebben allebei een meloen onder de arm.
Meneer Luca schuift wat stoelen erbij.
'Kom zitten.
Wat willen jullie drinken?'
'Hoi mam, hoi pap,' zegt Orso.
'Doe mij maar een aardbeiencoctail.
Jij ook, Gideon?'
'Ben je nou alweer grappen aan het maken?' grinnikt Gideon.
'Een coctail zit vol alcohol.'
'Dat weet ik wel,' zegt Orso.
'Maar ik wil hem zonder alcohol.
Dat kan ook.
Dat is lekker, joh.'
'O, dan wil ik er ook wel een.'
'Was jullie dag gezellig?' vraagt Orso's moeder.
'Ik zie, dat jullie een meloen gekocht hebben.
Wat grappig.
En jullie hebben allebei dezelfde zonnebril op.

En...'
Ze stopt verbaasd even met praten.
'En jullie hebben allebei een pleister op je arm.
Waar is die voor?
Jullie hebben je toch niet laten tatoeëren, hè?'
'Jawel, kijk maar,' zegt Orso lachend.
Hij trekt de pleister op zijn arm los.
Geschrokken knijpt Orso's moeder haar ogen dicht.
'Je hebt je echt laten tatoeëren.
O, wat verschrikkelijk.
En wat is het voor tatoeage?
Een slang of zo?'
'Nee,' zegt Orso.
'Het is een duizendpoot.'
'Bah, wat eng.'
Orso staat op en loopt naar zijn moeder toe.
Hij houdt zijn arm vlak onder haar gezicht.
'Kijk nou eens goed, mama.'
Orso's moeder griezelt ervan, maar ze kijkt wel.
Dan begint ze opgelucht te lachen.
'Jij grapjas, je hebt hem erop getekend.'

'Weet u ook waar mijn vader is?' vraagt Gideon.

Meneer Luca knikt.
'Hij is naar zijn kamer gegaan.
We hebben heerlijk gezeild vandaag.
Ik heb hem gevraagd of jullie vanavond weer met ons samen willen eten.
Dat leek hem een prima idee.'
Gideon staat op.
'Bedankt voor het drankje.
Ik ga ook naar boven.
Tot vanavond dan.'
Hij steekt zijn hand op en loopt weg.
Maar hij gaat niet meteen naar boven.
Hij rent naar de keuken van het hotel.
Isabel staat er drankjes klaar te maken.
'Mogen wij vanavond weer heel veel patat?' vraagt Gideon.
'Wat is dat nou voor een rare vraag?' zegt Isabel.
'Ik vind jou maar een onbeleefd jongetje.'
Gideon bloost.
'Ik vraag het niet voor mezelf.
We eten vanavond weer met de Luca's.
En Orso is gek op patat.
Daarom vraag ik het.'
'O,' zegt Isabel ineens poeslief.

'Orso krijgt vanavond heel veel patat.'
'En mag ik even een grote schaal lenen?'
vraagt Gideon.
'Waarvoor?' vraagt Isabel.
'We hebben een meloen gekregen.
Die wil ik op de kamer met mijn vader opeten.
We hebben niet zo'n grote schaal op de
kamer.'
'Pak er maar één.'
Gideon pakt hij een plastic schaal van een
plank en wil weer naar buiten lopen.

'Hé, wacht eens even,' roept Isabel.
Gideon blijft staan.
'Heb jij soms een geintje met de sleutels uitgehaald?
Ze hingen allemaal verkeerd.'
Gideon schudt verbaasd zijn hoofd.
'Sleutels?
Daar weet ik niets van.'
'Oké, goed,' zegt Isabel.
Maar je kunt aan haar zien, dat ze Gideon niet helemaal gelooft.
Gideon loopt met de schaal naar buiten.
Hij gaat niet het terras op, maar neemt een andere uitgang.
Er staan wat struiken.
Gideon gaat op zijn knieën liggen.
Af en toe raapt hij wat op.
Als zijn schaal halfvol is, gaat hij naar de hotelkamer.

Martin zit op het balkon de krant te lezen.
'Hoi pa,' zegt Gideon.
'Hé Gideon.
Was het leuk vandaag met Orso?'

'Ik heb me niet verveeld.
Wat weet jij van duizendpoten?'
'Duizendpoten?
Dat zijn geleedpotige diertjes.'
'Wat?'
'Geleedpotigen hebben een lijf, dat uit een aantal stukjes bestaat.
En al die stukjes hebben pootjes.'
'Wist jij dat er giftige duizendpoten bestaan?'
'Nee, vertel eens hoe je dat weet.'
Gideon vertelt zijn vader wat er allemaal gebeurd is.
'Nou jongen,' zegt Martin.
'Daar ben je goed vanaf gekomen.
Dus die Orso is een grappenmaker.'
Gideon knikt.
'Maar vanavond bij het eten pak ik hem terug.'
'O ja, hoe dan?' vraagt Martin.
'Dat zie je straks wel.'

Isabel dient het eten op.
Gideon loopt achter haar aan naar de keuken.
'Mag ik u helpen?' vraagt hij.
'Ik wil Orso graag zijn patat brengen.'
'Je gaat je gang maar.
Hier.'

Isabel duwt Gideon een bord in handen.
Hij loopt er langzaam mee naar het terras.
Onderweg haalt hij iets uit zijn zak.
Dat legt hij tussen de patat.
Orso begint gulzig te eten.
Dan spert hij ineens zijn ogen open.

'Wat is er?' vraagt Gideon onschuldig.
'Ik lust deze patat niet meer,' zegt Orso.
'Er zitten gele rupsen tussen.'
'Eet je je bord niet leeg?' vraagt Gideon.
'Dus je loog gisteren.
Toen zei je nog, dat je een bord patat altijd leeg eet.
Wat slap zeg.'
Orso kijkt nog eens naar zijn bord.
Hij snapt wel, dat Gideon hem terug wil pakken.
'Oké, je hebt gelijk,' zegt Orso dapper.
Hij doet zijn ogen dicht... en eet zijn bord leeg.

Isabel brengt weer ijs als dessert.
Voor iedereen heeft ze citroenijs.
Alleen Gideon en Orso krijgen een andere smaak.
Ze zet twee coupes met bruin ijs neer.
'Kijk eens, makkers.
Dit heb ik speciaal voor jullie laten maken.
Sleutel-ijs!'
Gideon en Orso kijken elkaar aan.
Zou Isabel het dan toch weten?
En wat voor smaak ijs is dat eigenlijk?

Orso en Gideon durven het bijna niet te proberen...